杨永青（1927—2011），中国当代著名国画家、连环画家、版画家和儿童美术教育家。

杨永青出生在上海浦东一个贫苦农民家庭，种过田，当过学徒，教过书。1952年开始在出版社担任美术编辑，1956年起历任中国少年儿童出版社美术编辑、编审。曾任中国美协儿童艺委会一至十二届的主任。

杨永青的画作以表现传统题材、人物见长，在绘画上的卓越成就主要表现在他对儿童题材的绘画尤为精致和独到，人物形象无不栩栩如生。他一生创作了52部连环画，多套书被翻译成多种文字在世界各地出版发行。

杨永青的作品散发出无限慈爱和天真纯美的温馨味道，歌颂大爱与和谐是他对传承、发扬中华文化的卓越贡献。

特别是杨永青晚年的创作，多以观音、童子题材为依托，表达对和平、博爱的追求。他心目中的观音就是和平女神，是中式的“圣母”，是美丽和慈悲仁爱的化身；童子则是儿童题材创作的延续。

杨永青将一生奉献给孩子们和美术教育事业，离休之后依然笔耕不辍，为儿童图书作画，把最精美的精神食粮奉献给孩子们，他希望小朋友在阅读图书的时候，能够得到快乐和有益的启迪。

大师绘本馆

杨永青

◎八仙过海◎铁拐李巧惩渔霸◎汉钟离蒙冤修道

杨永青/绘　石　南/文

中国少年儿童新闻出版总社
中国少年儿童出版社
北京

图书在版编目（CIP）数据

八仙过海　铁拐李巧惩渔霸　汉钟离蒙冤修道 / 杨永青绘；石南文. —北京：中国少年儿童出版社，2016. 1

（大师绘本馆. 杨永青）

ISBN 978-7-5148-2847-4

Ⅰ. ①八… Ⅱ. ①杨… ②石… Ⅲ. ①儿童文学－图画故事－中国－当代 Ⅳ. ① I287.8

中国版本图书馆CIP数据核字（2015）第312590号

BAXIAN-GUOHAI
TIEGUAILI QIAO CHENG YU BA
HANZHONGLI MENG YUAN XIUDAO

出 版 发 行：中国少年儿童新闻出版总社
中國少年兒童出版社

出 版 人：李学谦

执行出版人：赵恒峰

选题策划：何强伟　　责任校对：陈毕欣

责任编辑：姜　涟　　责任印务：杨顺利

封面设计：缪　惟

社　　址：北京市朝阳区建国门外大街丙12号　　邮政编码：100022

总 编 室：010-57526071　　传　　真：010-57526075

发 行 部：010-57526568

h t t p：//www. ccppg. com. cn

E-mail：zbs@ccppg. com. cn

印刷：北京利丰雅高长城印刷有限公司

开本：889mm × 1330mm　1/24　　印张：3.75

2016年1月第1版　　2016年1月北京第1次印刷

印数：6000册

ISBN 978-7-5148-2847-4　　定价：28.00元

图书若有印装问题，请随时向印务部退换。(010-57526881)

杨永青和他的儿童画

冰　心

世界上没有一朵不美的花，也没有一个不可爱的孩子。

我一生喜爱小孩子，无论是母亲怀抱里的，老师领着在路上走的，银幕上的，图画里的，我都爱！

1980年夏我因病住院，同年10月《儿童文学》同人送给我一幅贺寿的画。画上是一个挽着丫角，系着大红兜肚，背着两个带着绿叶的大红桃子的胖娃娃。这娃娃画得十分传神可爱。那微微张开的笑口，那因用力而突出的胸腹，和那两只稍稍分开而挺立的胖腿，都充分地表现出他乐于背负的两个大桃子，是太大太重了！这只有对于小孩子的负重动作有很细腻深入的观察的画家，才画得出来！这娃娃在我医院病榻旁陪了我半年，给我以很大的安慰和快乐。

《儿童文学》同人第二次来看望我时，我就详细地问起这位画家的名字和身世。从他们热情而诚挚的谈话里，从他们让我看的这位画家的作品里，我看到了一位认真、纯朴、正直，一心扑在儿童画上的艺术家的形象。

杨永青同志是上海人，家境贫寒，自幼丧母，父亲在上海替人做些杂工。他和祖母相依为命，艰辛地读完了五年的小学，就到上海一间木行里当了学徒。这时他已经酷爱画画，得到一管笔一张纸，就专心致志地画了起来，无论环境多么嘈杂，他也能够从从容容地画画。他尤其喜爱儿童的形象，善于捕捉一瞬间突出的美的画面，他就这样“无师自通”地画下去，直到他十五六岁的时候，才遇到一位工笔画的老师，受到一些绘画的训练。

新中国成立前夕，杨永青同志二十二三岁了，他开始以画画为业，在家乡的学校里，当了美术教员。新中国成立后，在乡政府和团县委参加美术宣传工作，直到他在上海华东团委的《青年报》上发表了几幅作品之后，社会上才开始注意杨永青这个名字。

1953年，他从华东青年出版社调到了中国青年出版社工作，主要是替少年儿童读物画插图。他的作品有《大灰狼》《马兰花》《小燕子万里飞行记》等，得到了广大小读者的赞赏。

三十年来，这位孜孜不倦一心扑在画上的艺术家，也免不了生活道路上的坎坷！可他即便在逆境里，也依然执着地坚守着生活的信念和对艺术的追求。他任劳任怨，忍辱负重，表现了一个艺术家应有的品格。在这期间，他的坚贞不渝的爱人蔡纯美（一位无线电修理部的先进生产者）劝慰他、鼓励他，独力挑起了一家的生活重担，支持他度过了漫长的艰难岁月。

1978年10月，随着党的知识分子政策的落实，杨永青终于得到了又一次的解放。雨过天晴，万物复苏，他重新握起了为儿童作画的画笔。他来到《儿童文学》编辑部担任编辑，心情舒畅了，专业上又有了很大的进步。几年之中，他又为儿童画了好几本画。

杨永青同志也画过山水人物。六十年代初期，他到福建，下连队体验解放军生活，又收集了许多民间版画资料；也到过云南、四川和华山、黄山等地，他把爱美的心灵沉浸在祖国南疆浓郁的风光里。但他最喜欢画的是祖国农村的儿童生活。在我看过的他的儿童画里，有喂猪的女孩儿、牧羊的男孩儿，还有高举着饭碗坐在小鸡群里的，有肩上挂着冰鞋迎着朔风赶路的……都生动、活泼，充满了生命力！而且神情各不相同，有爱抚，有喜悦，有防备，有急遽，都表现出画家和他的绘画对象有心灵上的沟通和交流，因而在风格上形成了极其自然的现实主义。我不会画画，欣赏绘画时只凭直觉。我觉得杨永青同志对他的工作是极其严肃认真的。他自己也说过：他为儿童读物作画，感到这任务是神圣的。他不但在作画时注意培养儿童严肃的审美观，还十分注意印刷效果，常常下到车间同工人师傅一起商量，关心印刷情况。

直到现在，我还没会见过这位以画儿童画为神圣事业的画家。他病了，动了手术，还在疗养期间。我衷心祝愿他放心休养。他比我年轻得多，他有足够的时间来享受他说过的“能使我放心大胆地追求”的美好环境。据我知道，现在画儿童画的艺术家不多，画得好的尤其难能可贵。喜爱儿童的人们，要一齐来关怀和爱护像杨永青同志这样的人才。

（本篇最初发表于《儿童文学》1982年第2期）

大师绘本馆 · 杨永青

八仙过海

杨永青◎绘 / 石　南◎文

老百姓自创的神仙群体——八仙

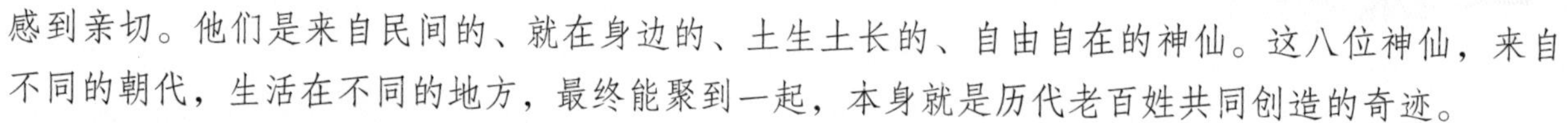

在中国的古代传说里，八仙是老百姓最喜闻乐见的神仙组合。他们神通广大，在人间抑恶扬善、扶危济困，因此深受尊仰；同时，他们的形象有叫花子，有艺人，有老道……也让老百姓感到亲切。他们是来自民间的、就在身边的、土生土长的、自由自在的神仙。这八位神仙，来自不同的朝代，生活在不同的地方，最终能聚到一起，本身就是历代老百姓共同创造的奇迹。

八仙这个叫法，最早出现在汉代。但汉代八仙，是当时的八个文人，而非神仙。现在通行的八仙说，起源于唐代。唐宋时代的传奇志怪，已经常见八仙的事迹，只是他们都还“单兵作战”、各自成仙，没有形成群体。

虽然八仙是道教人物，却是在老百姓的日常生活中凑齐的。唐代道观多挂十二真人图，老百姓常常在祝寿时祭拜，十二真人图渐渐演变为八仙图。那时的八仙，组合还不固定。信奉八仙和挂桃符、贴门神等民俗一样，意在求吉利保安康。至宋元两代，道教兴盛，八仙逐渐纳入道教的体系，受到朝野供奉。民间信仰和宗教推崇互相融合，同时，戏剧、小说推波助澜，八仙开始大规模流传。真正集合了以汉钟离（又称钟离权）、吕洞宾为首领的八仙，是在元人创作的杂剧中。这些杂剧都并称八位神仙，只是哪八位不尽相同，名字也还不够“规范”，八仙的事迹、特点也各不相同。至明代吴元泰编写《东游记》，终于排定了八仙的座次：铁拐李、汉钟离、张果老、蓝采和、何仙姑、吕洞宾、韩湘子、曹国舅，延续至今，再无变动。

八仙，在很大程度上满足了凡人得道成仙的理想。八仙都从俗世脱胎换骨而来，也就是说，只要修炼得当，只要有幸碰到吕洞宾等的度引，每个人都有机会飞到向往的仙界里去。这是八仙流行的民众基础。至明清两朝，八仙的影响蔚为大观：从宗教的推广，各地多有八仙宫；到文学戏剧，以八仙为题材的作品层出不穷；到民俗的渲染，迎神赛会也都少不了八仙的捧场。

同时，原本不相干的离奇故事，一路叠加贴靠到八仙身上。神仙事迹跟市井生活融为一体，传说变得更加引人入胜。可以说，八仙是各个地方、各个时期老百姓心中种种神仙的集大成。当然，其中有很多牵强附会的引申，比如说八仙分别代表着男、女、老、少、富、贵、贫、贱，让老百姓更加崇敬、信服。

八仙既是老百姓精神世界的美好向往，也是日常生活的美丽装饰。年画、刺绣、瓷器、花灯、家具上，八仙形象随处可见：有时是八位活灵活现的仙人；有时干脆就是他们所用的八样法器，铁拐李的葫芦，汉钟离的芭蕉扇，韩湘子的笛子，蓝采和的花篮，吕洞宾的宝剑，曹国舅的玉板，张果老的渔鼓，何仙姑的荷花，俗称“暗八仙”，用漂亮的图案，象征吉祥如意。

八仙的存在，不仅丰富了田间地头的闲谈，还直接丰富了生活中的语言，例如八仙过海——各显神通，八仙聚会——神聊，八仙过海不用船——自有法度（渡），狗咬吕洞宾——不识好人心，蓝采和吹笛子——不同凡响，张果老骑驴看唱本——走着瞧，这些生动活泼的歇后语，以另一种形式给大众的生活带来趣味。

要特别说明的是，这套连环画故事，是照葫芦“话”瓢——早在二十世纪九十年代初，杨永青先生画过一套八仙的传说。时过境迁，值得再次“看图说话”，按照画中的场景，重新讲述八仙的故事。杨永青先生是中国连环画的一代大师，他的作品独树一帜，尤其对中国传统文化题材的表现，匠心独运，既显示中国画的深厚底蕴，又带有鲜明的时代特点。八仙故事，是他艺术水准和创作态度的一个缩影，构图舒展，疏密有致；笔墨流畅，线条灵动；一笔一画，一丝不苟；笔下人物爱憎分明，栩栩如生。看八仙的故事，接受民间文化的熏陶，诚然有趣；看杨永青先生的画，领略连环画的风采，同样是这套书的魅力所在。

三月三，是王母娘娘的蟠桃会。各路神仙到齐，好不热闹。八仙也接到邀请，前往瑶池庆贺。

有蟠桃，香甜可口；有美酒，开怀畅饮。宴席上，八仙个个兴高采烈。从瑶池出来，他们意犹未尽。

足踏祥云，八仙飘降蓬莱仙岛。眼前东海浩荡，万顷波涛。吕洞宾一时兴起，提议大家趁着酒兴，各显神通，漂洋过海。七位神仙齐声叫好。

话音刚落，吕洞宾随手将宝剑抛向海面，变作一叶小舟。他第一个登舟出发，如同泛舟平静的湖面，悠闲地吹起了笛子。

铁拐李见状，哈哈一笑，随后把拐杖抛向大海。拐杖化作一截儿巨木，有如一艘小船。铁拐李身背葫芦，舒舒服服地靠在浮木上。

张果老依旧倒骑着毛驴。他扬起鞭子，毛驴踏浪而行，如履平地。

汉钟离扔出芭蕉扇，在海面化作一张平整的木筏。他跳上木筏，逐波斩浪。

韩湘子将花篮抛掷海中，花篮瞬间变作小小的花船。韩湘子坐在船中，和吕洞宾一样，不忘吹起欢快的玉笛。

何仙姑不甘示弱，手中的荷花在海面上越开越大，如同莲花宝座，载着何仙姑向远方飞驰。

蓝采和的竹板化作了小舢板，在风浪里是那样灵巧。

曹国舅稳稳地站在硕大的渔鼓上，任凭波涛汹涌，如同闲庭信步。

八仙乘风破浪，你追我赶。不一会儿，八仙就到了茫茫大海的深处。忽然，韩湘子觉得有些不对劲儿，发现少了一个人。大家围拢过来一看，蓝采和不见了。原来东海龙太子早已垂涎何仙姑，听说八仙过海，便派虾兵蟹将前来偷袭。无奈何仙姑和众仙挨得近，无从下手。虾兵蟹将索性就把漂游在最后的蓝采和截下，押回去交差了。

龙宫内金碧辉煌，龙太子高踞宝座。他见部将抓错了人，气不打一处来。可转念一想，不如先把蓝采和扣作人质，去换何仙姑。

龙太子这边打着如意算盘，那边吕洞宾料定是龙太子劫走了蓝采和。他收起小舟，手提宝剑，翻身入水，奔向龙宫。

龙太子自恃蓝采和在手，和吕洞宾讨价还价，说只能用何仙姑来换。吕洞宾一气之下，挥剑抢人。虾兵蟹将自然不是吕洞宾的对手，抱头鼠窜。龙太子逃避不及，一命呜呼。

吕洞宾去了多时，在海上的汉钟离等不免焦急。大家猜测，吕洞宾或许遇到了麻烦，没准儿在龙宫里少不了一番打斗，不如都下去看看。

果不其然，众神仙到了龙宫，只见吕洞宾正在和龙王交涉，要求放人。老龙王则要吕洞宾赔他的儿子。

汉钟离上前一步，拱手施礼道：“我们路过宝地，本无意冒犯。是太子劫人在前，吕洞宾动手在后。请龙王马上放了蓝采和吧。”东海龙王见众神仙的阵势大，嘴里答应放人。

老龙王带着大家走进一间密室。见到蓝采和安然无恙，大家都放下心来，觉得龙王还算讲情面。

八仙准备离开龙宫。老龙王说了声“请。”就转身不见了。八仙一愣神儿，整个龙宫突然漆黑一片，无路可走。大家一边骂老龙王用心歹毒，一边摸索向前。黑暗中，只有张果老的小毛驴始终不慌不忙。这下，八仙心中有数了。

在小毛驴的带领下，八仙顺利走出龙宫，来到海面。东海波光粼粼，一望无垠。经过龙宫的一番插曲，八仙更加兴致高昂，彼此照应着，施展法术一齐过海，到达了彼岸。

大师绘本馆·杨永青

铁拐李 巧惩渔霸

杨永青◎绘 / 石　南◎文

出场人物——铁拐李

铁拐李是八仙中资格最老的一位。他的身世，基本都是杜撰的。有说他是隋朝的乞丐，名洪水，小字拐儿，又名铁拐，长年四处流浪。后来将铁杖抛掷空中，化为游龙，乘龙而去。有的说他是唐朝人，原本相貌堂堂、身形伟岸，在终南山学道，一次元神出窍，没曾想肉身被老虎吃了，只得附身于一个跛腿乞丐。也有说他是被西王母点化成仙的，封为东华教主，授铁杖一根。还有说他本名李玄，遇到太上老君得道成仙。他在八仙中出现较晚，之所以能排在八仙之首，或许跟这样的来头有很大关系。

元杂剧有《吕洞宾度铁拐李岳》，又名《岳孔目借铁拐李还魂》，说的是宋代郑州一个叫岳寿的小官员，借瘸子小李屠的尸身还魂的故事，算是铁拐李成仙的定本。这出戏的结尾，李岳唱道："汉钟离有正一心，吕洞宾有贯世才，张四郎、曹国舅神通大，蓝采和拍板云端里响，韩湘子仙花腊月里开，张果老驴儿快。我访七真游海岛，随八仙赴蓬莱。"可见，当时已经流行八仙的叫法了；同时，后世通行的八仙，此时差不多已经凑齐了。

跛足、拄拐，并没有损害铁拐李的神仙形象。相反，老百姓愿意看到这样一位"有缺陷的神仙"。十丐九跛，跛足也更符合他的身份吧。此

外，铁拐李在民间大受欢迎，是他精通医术。传说他是江湖游医出身，拿手的本领就是用草药外敷，专治跌打损伤。还有的传说他成仙后，精于药理，长于药膏，泽被乡里。他的形象，除了跛足、拄拐和头发杂乱、戴金箍，就是身背一个葫芦。俗话说：铁拐李的葫芦——不知装的什么药。葫芦里面，当然都是灵丹妙药。古人对神医治病是很看重的，所以，对铁拐李懂医术的本领，就格外尊重，尊他为药王，不少地方专门为他修建了药王庙。卖膏药的行业，也把他当作祖师爷供奉。

成仙之后的铁拐李游历人间，惩恶扬善，替百姓消灾解难。

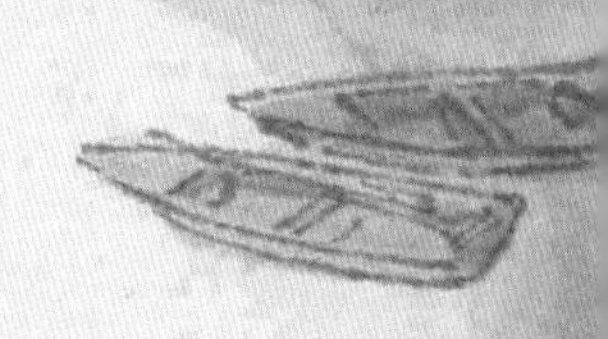

一天，铁拐李路过湘江，见一群渔民在哭泣，地上还躺着一具尸体。铁拐李忙上前打听是怎么回事。

渔民哭诉说，他们以捕鱼为生，生活本来就很艰难，偏偏还有一个渔霸横行乡里，辛辛苦苦打来的鱼，十有八九都被他强行收走。这个渔民咽不下这口气，前去理论，一家人却遭到了渔霸殴打，渔民含恨自尽了。

铁拐李决心替渔民讨回公道。他变出一个小陶罐托在手里，在鱼市周围吆喝：“我有长生不老的秘方，谁有钱把我的小陶罐装满就给谁秘方。”

正在遮阳伞下跷脚架手、悠闲自在的渔霸，觉得这是好事送上门来了。他这两天刚收上来几袋渔民的血汗钱，便把铁拐李叫到眼前，说：“我给你钱，你给我秘方。你要是个耍把戏的，我可对你不客气。”铁拐李笑了笑，把陶罐递了过来。

渔霸先是从钱袋里一枚铜钱一枚铜钱的往里装。说来也怪，小小的罐子，好几把铜钱扔下去，连罐底都铺不满。渔霸心里有些纳闷儿了，索性拎起钱袋往下倒，钱袋比陶罐大得多，可是陶罐好像深不见底，几袋钱倒光了，离陶罐口总是差着一大截儿。

渔霸暗想：这是遇到会法术的异人了。虽然渔霸很恼怒，但有言在先，既然陶罐没有装满，那就暂时认输。

铁拐李转向一旁观看的渔民，把陶罐里的钱往外倒。小小陶罐，像是藏了什么机关，那几袋子铜钱，又原封不动地倒了出来。铁拐李将钱一一还给了渔民。

输钱的渔霸自然很不服气，听说钱都分给了渔民，更是气不打一处来。他打算再赌一把，将家中的金银财宝一股脑儿拉了过来，不信陶罐都能装进去。

渔霸说：“铜钱比你陶罐口小，你可以耍花样。我这一车的金银财宝，你还能装进去吗？要是你输了，乖乖把秘方交出来。”铁拐李托着罐子，镇定自若地说：“我的话当真，你说话也要算数。”

铁拐李将陶罐斜放在地下，罐口对准小推车。然后做了个往里请的手势，口中念道：“推车，推车，进罐子。”

只见推车渐渐由大变小，就在众人凝神屏息的时候，小推车像一只小蚂蚱一样轻巧地蹦进了陶罐。渔民齐声喝彩，渔霸目瞪口呆。

见满满一车金银财宝全都没有了，渔霸哪能善罢甘休。他命令家丁将铁拐李拿下，同时连忙去抢陶罐。不料家丁的手刚伸过来，铁拐李身形一晃，就没有了人影，原来他一股烟似的飘进了陶罐。

渔霸大惊失色，抄起罐子向地下猛砸。罐子“哗啦”一声碎了，竟然空无一物，铁拐李和金银财宝都消失得无影无踪。

渔霸慌忙带着家丁四下里寻找，来到江边，看到铁拐李正在给渔民分钱。看着自己的金银财宝已经一个不剩，渔霸恼羞成怒，和家丁一起将铁拐李团团围住，几个人如恶狼扑食围住了铁拐李。虽然铁拐李拄着拐杖，可是他闪转腾挪灵活自如，谁也近不了他的身。

见拿不下铁拐李，渔霸一计不成再生一计。他让家丁将刚才分到钱的渔民一一捆绑，要去见官，好捞回损失。铁拐李连忙阻止：“一人做事一人当。你把他们放了。我把金银都还给你。”渔霸已经领教铁拐李的神异，一心只想要回钱，就把渔民放了。

路边有一块大石头。铁拐李用拐杖轻轻敲击，将手指点压在上面。渔霸不由得瞪大眼睛，只见石头颜色渐变，变成了一大块金光闪闪的金子。

看着金石头，渔霸心花怒放。但他转念一想，起了更大的贪心：金子再多，总有花完的时候，要是有了点石成金的手指，岂不是想要多少金子就有多少金子！

面对渔霸无耻的要求，铁拐李一点儿也没有拒绝。他把手指头放在石头上，说：“你要是能取走，手指头就归你。”

渔霸财迷心窍，竟然起了恶念。他一不做二不休，一把抢过铁拐李的铁拐杖，朝铁拐李的手指头砸了下去。血溅顽石，铁拐李的手指头断在一旁。

渔霸觉得这真是一举两得，不仅能得到金手指，还报了铁拐李戏弄自己的仇。谁知刚放下铁拐杖，手指头飞了起来，有如一把飞刀。渔霸惊慌失措，连忙躲闪，他慌不择路，一脚踏空，栽进了身后的一口深井。

渔霸死有余辜，渔民拍手称快。断指一瞬间又飞回铁拐李手上，完好如初。渔霸已除，渔民可以安居乐业了，铁拐李驾起云朵，飞离湘江。两岸百姓双手合十，与他依依惜别。

大师绘本馆·杨永青

汉钟离 蒙冤修道

杨永青◎绘 / 石　南◎文

出场人物——汉钟离

八仙中，汉钟离的资历差不多是最老的。在道教里，他和吕洞宾的地位，也最为尊显。元代，全真道大为兴盛，他被奉为正阳祖师，成为道教北五祖之一。

有关汉钟离的来历，五代、宋初已有记载，他复姓钟离，名权。明代王世贞编辑《列仙全传》，讲述了他成仙的经过：钟离权，燕台人，号云房先生，为五代时刘汉王朝的大将，征讨吐蕃，兵败逃亡，被胡僧指引，向已经得道成仙的东华帝君学道，再遇华阳真人等，修成真仙。

巧合的是，唐代确实有一位叫钟离权的人，《全唐诗》录有他的三首绝句，并附有小传："咸阳人，遇老人授仙诀，又遇华阳真人、上仙王玄甫，传道入崆峒山，自号云房先生，后仙去。"

以上的记载，人物都名为钟离权。那么，名字后来是怎么演变成汉钟离的呢？

一说钟离权为唐朝人，与吕洞宾同时代人，自称"天下都散汉钟离权"，意为"天下第一闲散汉子"。后人或以为"汉"字和钟离连读，故称"汉钟离"。这位钟离权成仙的过程，和《列仙全传》所说大同小异，大约同一个故事，安在不同的人物身上了。

一说钟离权是东汉咸阳人，其父钟离章为东汉大将，其兄钟离简为中郎将，所以称他为汉钟离。这种说法，或许只是后来讹为汉钟离，才让他返回汉代的。

司马迁的《史记》里，明确记载了汉代大将钟离昧的事迹。钟离昧先事项羽，后奔韩信，死于刘邦的阴谋。所以，汉钟离的人间原型，也有附会在钟离昧身上的。

杨永青先生所画的八仙故事，就以钟离昧为本。钟离昧本是勇猛战将，却抱屈而死，在老百姓内心里，是希望他成仙的吧。

历来汉钟离的形象，都是头梳双髻、袒胸露乳、手摇芭蕉扇，既是个潇洒的神仙，也是一副闲散汉的样子。

汉钟离原名钟离昧，本是西楚霸王项羽手下一员大将。他手提大刀，跃马驰骋，出生入死，多次在与刘邦正面对峙时，将刘邦打得落花流水。但项羽残暴，烧杀抢掠，也让他心头不忍。

楚汉相争，刘邦最终得到天下。项羽兵败后，钟离昧受到感召，投奔韩信。因为他性情耿直，作战勇猛，深得韩信赏识。

但是刘邦记恨旧仇，不能容忍韩信收留项羽的部下，总觉得钟离昧是心腹大患，便下令让韩信逮捕他。韩信一时左右为难。

而且，韩信作为开国功臣，功高震主，刘邦处处对他设防。有人借机密告韩信谋反，刘邦定下一计，打算擒拿韩信。谋士给韩信献策：“皇上对钟离昧最为不满，不如将他杀了，这样既可以讨皇上的欢心，也可以消除皇上对你的疑心。”

韩信拒绝了，这不是让钟离昧替死吗？为了保命，杀害无辜的猛将，于情于理都说不过去。谋士再三劝说，韩信一番斟酌之后，把此事对钟离昧和盘托出。

钟离眛对韩信说：“刘邦之所以不直接攻打你，是忌惮我在；如果你杀了我讨好刘邦，你的性命也就堪忧了。”失望之余，钟离眛愤而自杀。韩信派人将他的人头用红布包裹，进献刘邦。

刘邦是无赖出身。看见钟离眜的人头，虽然暗自高兴，但也并没有因此放过韩信。依旧将他捆绑，带回朝廷。

将军没有战死沙场，冤死后竟然还身首分离，真是莫大的屈辱。钟离昧的人头，被属下偷偷抱回，与身体合葬。

虽然人已经死了，但钟离昧魂魄不散。他来到终南山，终日修炼，希望成仙，以消除在人间所受的苦难。

终南山里有一条巨蟒出没无常，吃人无数。老百姓谈蟒色变，束手无策。

钟离昧听说巨蟒作恶多端，决心伏击巨蟒，为民除一大害。他像生前一样，再次提起大刀，来到巨蟒洞边。

待巨蟒一出山洞，钟离昧手起刀落，将巨蟒斩杀。

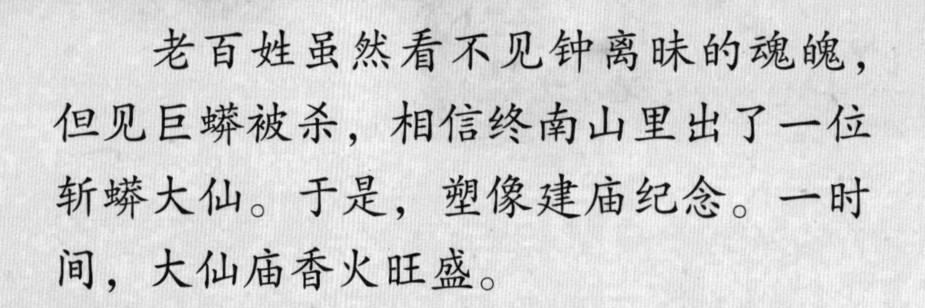

老百姓虽然看不见钟离昧的魂魄，但见巨蟒被杀，相信终南山里出了一位斩蟒大仙。于是，塑像建庙纪念。一时间，大仙庙香火旺盛。

人间忽然多了一位没有听说过的仙人，天上的神仙也很好奇。王母娘娘派东华仙到人间探个究竟，见机可以度他真正成仙。

终南山中层峦叠嶂，云雾缭绕，宛如仙境。东华仙飞临钟离昧的住所。

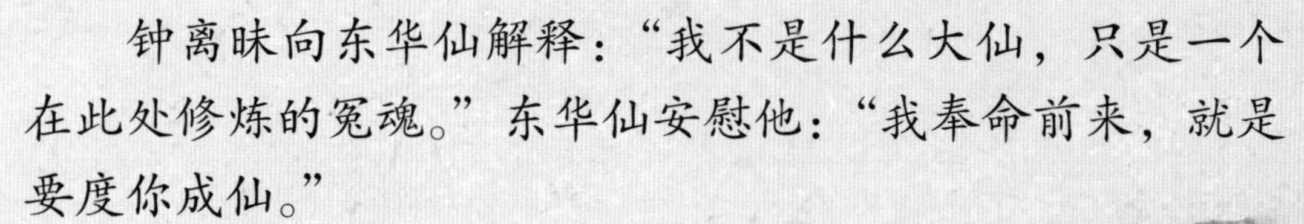

钟离昧向东华仙解释：“我不是什么大仙，只是一个在此处修炼的冤魂。”东华仙安慰他：“我奉命前来，就是要度你成仙。”

钟离昧磕头致谢。东华仙轻挥拂尘，算是收下了这位凡间的弟子。

返回天宫之际，东华仙赐给钟离昧两粒仙丹，然后飘然而去。

钟离昧吃下第一粒仙丹，顿觉身轻如燕；吃下第二粒，顷刻升天腾云。从此他长刀换作芭蕉扇，天上人间好不逍遥。